# 우리의 모든 계절

**우리의 모든 계절**

**발 행** | 2024년 02월 01일
**저 자** | 이그린
**펴낸이** | 한건희
**펴낸곳** | 주식회사 부크크
**출판사등록** | 2014.07.15(제2014-16호)
**주 소** | 서울특별시 금천구 가산디지털1로 119 SK트윈타워 A동 305호
**전 화** | 1670-8316
**이메일** | info@bookk.co.kr

**ISBN** | 979-11-410-6967-4

# 우리의 모든 계절

글 이그린

위로를 받는 다는 건

타인이 나를 이해하고, 또 공감해야 가능하다.


그것만큼 큰 위로가 없다.


하지만 우리는 살아가면서

그것이 쉽지 않다는 것을 알기에

지친 당신에게 해주고 싶은 말


당신을 절대 혼자가 아님을 나 또한 그렇다는 걸

그러기에 우리는 같다는 것을.

# 앞날을 위한 비축

도망 쳤다고 알아주는 사람 하나 없고,
피하기만 할 수 없다는 것은 알고 있다.
넘어질까 혹은 무너져 버릴까 겁이 나서
아무것도 하고 싶지 않다는 것을 안다.
그렇게 조금씩 성장해 나가는 거니까
네가 할 수 있는 만큼에 능력만 보여줘도 돼.
너는 앞으로 충분히 나아갈 수 있는 사람이니까
걱정하지 말고, 일어나고 싶을 때 일어서면 돼.
네가 겪은 모든 순간들은 앞으로 나아가기 위한
도약할 힘을 비축하는 거야.
그러니까 자신에게 너무 실망 하지마.
이미 잘 해 내왔어.
네가 모든 준비를 마쳤을 때 일어서면
너에게 손을 내미는 사람이 바라보고 서 있을 거야,

# 외침

고요한 공간 속에서

인내심의 한계의 도달했을 때

조용히 마음속으로 나 좀 알아달라고 외친다.

## 숙제

어떠한 것이 의미가 있을까

누구나 살아가는데 있어서
의미를 찾고 싶을 것이고, 알고 싶을 것이다.

그렇기에 살아가는 것이다.

살아가면서 인생에서
이 의미를 어떻게 풀어나가야 할지
알아가는 것이 평생 해야 될 숙제이겠지

바
램

저 흐릿한 안개처럼
어쩔 땐 스쳐 지나가는 바람처럼

그냥 지나가고 싶을 것이다.
조용히 머물고 싶을 뿐이다.

희
망


삭막한 어둠보다
멀리 있는 불빛을 향해 달려나가고 싶을 것이다.


도저히 앞으로 향해 갈 수 없는 순간이 올 때
그 잠깐의 순간에 포기하지 마라.


그 순간 뒤에 바로
그렇게 바라던 내 세상이 빛으로 물들 테니

공
허

공허하고 외롭고 쓸쓸하다는 것은
내 감정들을, 사람들을, 인생을, 세상을
모든 것을 사랑하고 싶다는 말처럼 들린다.

어쩌면 사람들은 사랑하고 싶을 뿐이다.
그게 가끔은 어려울 뿐이다.

# 너를 만나

어여쁜 사람을 만나
나도 어여뻐진다는 것은
진심으로 행복하고 소중한 일이다.

이런 감정을 느끼는 잠깐의 순간에도
나는 나의 모든 마음을 바친다.

그저 행복한 순간을 온전히 즐길 뿐이다.

# 이별

사랑이 지면서
진심이었던 내 마음마저 지게 되는 건
잠깐 피었다 지는 꽃과 비슷하다.

그 순간 빛났었다면 그걸로 된 거겠지

# 하늘을 보는 법

포기하고 싶었다.
아무것도 보이지 않았다.
결국 어둠에 갇혔다.
빠져나올 곳이 없었다.

그렇게 지친 마음으로 눕게 되었을 때
하늘을 보았다.

그렇게 알게 된 것이다.
하늘이 보인다는 건 갇힌 것이 아니었다는 걸

힘에 부쳐 도저히 앞으로 갈 수 없을 때
힘을 빼고 누우면 된다는 것을
이미 내가 잘 해내고 있었다는 것을

일상에서 한 번씩 힘을 빼고,
쉬는 것이 얼마나 중요한 것인지
비로소 알게 된 것이다.

그러니 더 이상 갇히지 않을 것이다.
하늘을 보는 법을 배웠으니

# 사랑

너는 이런 내 마음을 알까

고요한 우물에 돌을 던졌을 때
잔잔하게 퍼져가는 파동처럼
내 마음의 물결에 변화가 생기기 시작했다는 것을

이 파동처럼 전해지는 마음의 물결이
생각보다 쓸쓸하고, 마음이 아려 온다는 것을

이것이 나를 좀 바라봐 달라는 신호인 것처럼
이 물결이 무슨 물결인지 알려달라는 것처럼
마음이 울리기 시작했다.

네가 던진 돌이 나의 우물에 빠져버렸구나
이제 그 돌은 찾지 못하겠구나

그렇게 시작되었다.

# 기대

문득 자연스레 이런 생각이 머리 속을 채웠다.

너와 함께하고 싶다
너와 함께 변화를 맞이하고 싶다
너와 함께 이겨내고 싶다
이 모든 것을 너와 함께 느끼고 싶다

사랑하면 네 곁에 있고 싶다는 말이 마음에 와닿는다.
이 사랑이 나를 어디로 데려갈 것인가

소란스러운 마음에 울컥하고,
설레지만, 두렵고, 슬프지만 기대한다.

이런 너를 놓치고 싶지 않다.
간절히 빌어본다.

## 애도

사랑하고 소중한 사람을 잃는 다는 건 애도에 가깝다.

그 무엇보다 어떠한 감정보다 무겁다.

마음이 무너진다.

흐름




감정도, 인생도, 마음도

원하는 대로 흘러가지 않는 법이다.

그러기에 설레기도 두렵기도 한 것이다.

# 불완전 하기에 아름다운 것

사람이기 때문에 감정을 느끼는 건 당연한 거야
그 감정을 억누르려고 하지 않아도 괜찮아
우리는 그런 걸 사람답다고 하는 걸

어쩔 땐 제어하지 못해서,
그래서 아름다운 건 아닐까 생각해보지만

또 만약 제어하지 못해서
누군가 상처받고 돌이킬 수 없는 일이 생긴다면
그건 그렇게 될 운명이었을 거야

걱정하지 않아도 돼

불완전 한 것은 나를 어디로 이끌지 모르니까
그러기에 아름다운 것이니까

# 짝사랑

나를 바라보는 너의 눈에서 사랑이 느껴진다.

너와 다른 사랑을 하고 있는 나는 자꾸 기대하게 돼
내 마음을 모르는 척하고 싶어도, 너의 눈을 바라보면
그 순간만큼은 너에게 솔직해지고 싶어 지니까

그 마음이 너에게 하고싶은 고백과 같을 거니까
내 마음에 울림이 생겼지만
모르는 척하기로 했어

# 가로등

내 앞에 수많은 불빛들이 수놓아져 있다.

이 길을 따라 걸어 그 불빛 끝에 다다를 때쯤,

네가 나를 바라보고 서 있으면

그럼 더 이상 바랄 게 없을 거야

## 온전한 이해


나를 온전히 이해하는 네가 있기에
버틸 수 있는 밤


나를 온전히 알아 봐주는 네가 있어서
특별함을 느끼는 밤


그렇기에 너를 사랑하지 않을 수 가 없어

할 수 있는 게 없는 밤

그렇게 너는 떠났고,

아무것도 할 수 없어서,

내가 바꿀 수 있는 것이 없어서,

사무치게 슬픈 밤

# 인내의 시간 속

끝이 보이지 않는 건 여전하지만,

답답한 건 여전하지만,

주어진 현실을 살아가다 보니

기다린 끝끝내 길에 생김새가,

가야 될 길이 어디인지 보이기 시작했다.

# 관계

지나갈 수밖에 없는,

내려놓을 수밖에 없는,

흘러가는 시간속에, 슬픔속에

사랑, 추억, 이별을 묻는다.

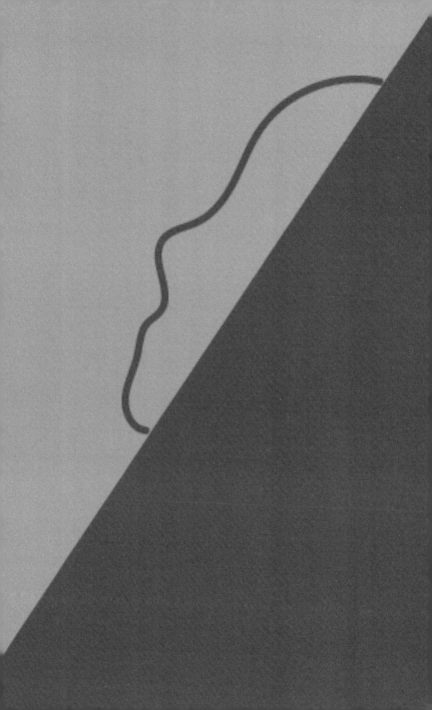

# 마지막 페이지

그래, 우리 마지막 페이지를 써보자.

끝은 새로운 시작

마지막 또한 새로운 시작의 이름을 숨기고 있다.

## 나의 응원

누구나 마지막과 끝을 향해 달려가고 있다.

무언가 끝이 다가오면,
이제 진짜 마지막이고 생각을 하겠지만,
나만이 온전히 쓸 수 있는 새로운 시작 또한
당신을 기다리고 있다는 걸 잊지 않았으면 한다.

당신이 무얼 하던 어디 있던,
응원하고 있다는 것을 알았으면 한다.

# 진심

옛날 진심으로 여겨주던 이들의 마음을,
상처 하나로 가볍게 치부해버렸던 나을 후회한다.

그렇기에 지금 다가오는
진심 하나도 소중하게 생각하며,
놓친 인연들을 생각하며,
내 진심을 더 눌러 담는다.

# 무례

누군가를 무시하고,
무례하게 구는 이들은
사랑을 해보지 못했기 때문에
그러지 않을까 생각한다.

정말 그 누가 됐든,
어떤 형태를 띄었든,
진정한 사랑에 한 번쯤 아파보고
모든 걸 견뎌봤다면
이리 쉽게 굴 순 없는 것이다.

# 마주보기

내 진심이 가볍게 치부될까 무섭지만,
그 두려움을 이겨내고, 내 마음을 전하게 된다면
그걸로 된 것이 아닌가

내가 최선을 다해 진심을 내보였다면
후회도 없을 것이다

분명 한치에 거짓 없이 내보였다면 닿을 것이다.

# 신뢰

살아가면서 내가 온전히 믿는 사람이,
나를 믿지 않는다는 게 얼마나 마음이 아픈 일인지
그럼에도 노력할 것이다.

진실 된 내 모습으로 다가갈 것이다.

# 너울

너와 함께 한 시간들은 너울이 주는 파장과도 같았다.


너울의 파장은 불러오는 풍랑에 비해 대체로 길지만,
잔잔하게 울려 퍼지는 파장도 멈춤이 있듯이
너와 나, 우리는 파장의 마지막 순간에 발을 올렸다.


긴 여운을 함께 하며 우리들 만에 파장을 일으켰으니,
이 순간만큼은 아쉽지 않구나.


그렇기에 또 다른 새로운 풍랑이 불어오길 기다린다.
떠나가는 파장을 나는 놓아주려 한다.

멀리 퍼져 가거라
새로운 파장이 일어날 수 있는 곳으로


그렇게 나는 새로운 풍랑이 부는 곳으로
미련없이 발걸음을 옮긴다.


너울이 넘쳐 흐른 물의 자국은 남겠지만
우리들이 일으킬 수 있었던 풍랑은 이제 잦아든다.


떠나보냈다.

# 하나의 그림

어수선한 마음 속,
나의 작은 방안에 들어가보니
많은 색의 실타래들이 여기 저기 정리가 되어있다.

많은 실로 엮여 있는 감정의 실타래
앞에 홀로 앉아 지켜보았다.
감당할 수 있었던 색과,
감당하기 쉽지 않았던 색, 행복했던 색,
아팠던 색, 즐거웠던 색,
적절하게 이루어져 있구나 하나의 그림 같다.

그 모든 순간 안에는 사랑이 있었다.
사랑을 지켜 내기도, 놓쳐 보기도 하며
기록해 나간 시간들 값지게 느껴진다.

# 새로운 시작

새벽녘 나뭇잎 한 잎에 이슬처럼

너는 매일 아침 나를 찾아 깨우는구나

당연하게 나의 이슬을 밝은 얼굴로 맞이하며

새로운 시작을 시작해보려 한다.

찾아오는 이슬 덕에 행복해진다.

# 너의 마음

너의 묵음, 침묵

돌아오지 않는 마음속에 무엇이 있을까

# 내가 글을 쓰는 이유

나는 가끔 내게 묻는다.

어떤 글을 쓰고
어떤 마음을 표현할 거냐고

그냥 내가 가진 여유, 힘든 감정 속에서도
즐길 수 있는 조금의 마음을 보여주고 싶다고 말한다.

사랑에서 오는 여유, 나를 사랑해서, 너를 사랑해서
모든 것들을 감히 사랑해서 오는 여유

# 바다의 색

천천히 스며드는 너를 어찌 막을 수 있을까

눈 떠 보니 나의 바다는

너라는 색으로 물들어 돌이킬 수 없다는 걸

어쩌면 나는 이미 알고 있었을지도 모르겠다.

## 수많은 사랑

수많은 사랑을 했었다.
애증이 담겨있는 사랑, 우정의 사랑,
거짓의 사랑, 공허의 사랑, 아픈 사랑

이 모든 것들이 사랑이 아니었을 수도 있겠지만,
이런 사랑들을 해봤기에 내 사랑은 한층 더 성장할 수
있었다. 내가 너를 알아볼 수 있었다.

그렇기에 모든 사랑을 한 것을 후회하지 않아

# 욕심이 주는 외로움

소란스러운 밤

갈 곳 잃은 밤을 지새우다
하루하루가 지나고 잔잔한 밤이 왔다.

불안하고 공허할 때는
지금 보다 더 바라는 것이 생겨서,
마음에 채워지지 않는 공간이 생긴 것이다.

욕심을 내려놓자.

# 내가 되고 싶은 미래에 가까워지는 법

내가 되고 싶은 것을 늘 상상하는 것이 중요하다.

생각을 하다 보면 나도 모르게 몸을 움직이고,
그러다 보면 내가 원하는 미래에 한발짝이라도
가까워질 수 있으니 말이다.

내가 흔들려도 원하는 것이 확실하면
불안함은 금방 잦아 들 테니 말이다.

## 언젠간 돌아오는 사랑


사랑을 하라.

깊게 사랑하라, 넓게 사랑하라

그 사랑이 언젠가 내게 돌아올 테니

# 그림자

잠깐의 감정에 속지마라

언제나 감정이라는 그림자는

우리가 바라보는 시야를 가리기 마련이다

# 말의 무게

무심코 뱉는 말에도 힘이 있다.

내가 살아가고 싶은 인생을 말에 담아라.

말의 무게는 생각하는 것 이상으로 무겁다.

# 믿음

사람을 믿어라,
믿지 마라,

어떻게 해야 될 지 모를 땐 나의 신념을 믿어라.
대가 없는 사랑을 하라.

하지만 그것 또한 눈을 가리고 귀를 막고,
아무에게 대가 없는 사랑을 주면
상처로 돌아올 수 있으니 조심해라.

# 내가 되고 싶은 모습

사람들은 모두 내가 되고 싶은 모습을 가질 수 있다.

하지만 되고 싶은 사람의 모습이
결핍을 숨기기 위해서.
나의 부족한 점을 채우기 위해서,
나에게 필요한 사람의 모습을 가지려 노력하다 보면
결국 나의 본질, 나의 정체성이 사라져
맞지 않는 옷을 입은 사람처럼,
기계처럼,
나를 잃어버릴 지도 모르니 결핍에 집중하지 말고
진짜 나를 알아가기 위해서 노력하자.
그러다 보면 나와 맞는 옷을 찾고
나의 매력을 알아갈 수 있을 것이다.
진짜 나를 아는 것만큼 매력적인 건 없다.

합리화 하지마라.

## 너의 그림, 나의 빛

너의 그림은 나를 담을 수 있고,

나는 너의 그림을 비춰 줄 수 있으니

그것보다 아름다운 작품은 없을 것이다.

너와 나



같은 길, 다른 길

같은 사람, 다른 사람

같은 결, 다른 결

같은 세상, 다른 세상

## 하고 싶은 말

결국은 우리가 지나온 길이
이런 저런 일이 많이 있었더라도
마지막 걸어온 길을 돌아봤을 때,
눈 부시게 아름다운 추억이 되었다는 건
부정하지 못할 거야.
모두 마음 속 깊은 곳에 일단 묻어두자.

그대로 묻히게 되더라도,
다시 꺼내 볼 날이 오게 될지라도
사라지진 않을 거야

# 우리의 모든 계절

우리가, 너와 내가 시간이지나

어떻게 살아갈지 모르지만

분명 잘 살아가고 있을 거야.

이 페이지를 넘기는 순간부터,

너만의 방식으로 너의 모든 계절을 담아봐.